LOBSGOWS

BETHAN BRYN

CURIAD

Cynllun y clawr: Ruth Myfanwy

Argraffiad cyntaf: Gorffennaf 2001

ISBN: 1 897664 38 9
ISMN: M57010 407 9

CURIAD, Pen-y-Groes, Caernarfon, Gwynedd, LL54 6EY
Ffôn: (01286) 882166
Ffacs: (01286) 882692
E-bost: curiad@curiad.co.uk
Y We: http://www.curiad.co.uk

RHAGAIR

Mae'n fraint gen i gyflwyno'r gyfrol hon – *Lobsgows* – sy'n cynnwys 12 o alawon newydd gan Bethan Bryn.

Rwy'n cofio bod mewn pwyllgor Cerdd Dant yn Aberystwyth ychydig flynyddoedd yn ôl. Roeddem wedi bod yno ers oriau, ac roedd hi'n hwyr ar nos Wener a phawb wedi blino'n lân. Yn anffodus roedd hi wedi mynd i'r wal arnom, ac ni allem ddod o hyd i gainc i fynd efo geiriau oedd ychydig yn 'wahanol' eu naws! "Mae angen rhywbeth ychydig yn 'spooky'" meddai un o'r criw. A dyma Bethan yn dechrau chwarae alaw ar yr allweddellau. "I'r dim!" oedd ein barn ni i gyd. "Beth ydi honna?" "Dwn im," meddai Bethan, "dim ond rhywbeth ddaeth i 'mhen i 'rwan." A dyna ddechrau 'Stelc', oedd yn ei chyfrol gyntaf. Roeddwn wedi rhyfeddu at ei dawn a'i dyfeisgarwch!

Nid oeddwn wedi gallu mynd i berfformiad cyntaf yr Opera Gerdd Dant 'Culhwch ac Olwen' yn Aberystwyth, ond llwyddais i fynd i'r ail berfformiad yng Nghorwen y noson cyn yr Ŵyl Gerdd Dant yn y dref honno. A chofiaf ryfeddu y noson honno at egni a gweledigaeth Bethan i fedru cyflawni'r fath gampwaith.

Y dyddiau yma, mae mwy a mwy o ganu ar eiriau mewn mesurau llai confensiynol nag oedd yn arferol yn y dyddiau a fu. Erbyn hyn mae angen alawon mewn mesurau amrywiol i gyd-fynd â'r newid yma. Felly, croesawn y gyfrol hon yn fawr.

Mae yma 12 o alawon, rhai'n hollol newydd eu harddull, a rhai'n fwy traddodiadol eu naws. Rhywbeth i bawb felly, fel mae teitl y gyfrol yn awgrymu. A gyda lwc fydd dim rhaid i bwyllgorau Cerdd Dant y dyfodol gael eu hunain yn hwyr y nos yn methu dod o hyd i alaw addas ar gyfer geiriau o hyn ymlaen!

ALWENA ROBERTS

CYNNWYS

HYD Y LLWYBR

CYSUR

CAPEL SALEM

SBONC

ATSAIN

MYFYRDOD

HEN LWYBRAU

SIGLEN

BERYL

(Cainc 8 bar i ddechrau fan hyn)
(8 bar version to start here)

Cainc 8 bar
8 bar version

16 bar version

(Cainc 8 bar iddechrau fan hyn)
(8 bar version to start here)

CRWYDRO

Tro olaf
Last time

HENFRO

Tro olaf
Last time

BREUDDWYDION

GWEITHIAU ERAILL AR GYFER Y DELYN GAN CURIAD
MORE HARP PUBLICATIONS FROM CURIAD